D1190780

COLLECTION – GPS*

Dictionnaire inutile… mais pratique
Premier ouvrage de la collection

* Guide de Poche et Sacoche[MC]

Dictionnaire inutile…
mais pratique

Les Éditions au Carré remercient le Conseil des Arts du Canada et la Société de développement des entreprises culturelles (SODEC) du soutien accordé à leur programme de publication.

© Les Éditions au Carré inc, 2005
pour l'édition française au Canada
Dépôt légal : 2e trimestre 2005
ISBN 2-923335-02-3

Les Éditions au Carré inc.
2006, rue Plessis, bureau 300, Montréal,
Québec H2L 2Y3
Téléphone : 514-949-7368
editeur@editionsaucarre.com www.editionsaucarre.com

DISTRIBUTION
Prologue inc.
1650, boul. Lionel-Bertrand
Boisbriand (Québec) Canada J7H 1N7
Téléphone : 1-800 363-2864
Télécopieur : 1-800 361-8088
prologue@prologue.ca
www.prologue.ca

Michel Lauzière

Dictionnaire inutile...
mais pratique

Dessins de l'auteur

e² Éditions
au Carré

Catalogage avant publication de Bibliothèque et Archives Canada

Lauzière, Michel, 1954-
Dictionnaire inutile… mais pratique
(Guide de poche et sacoche)
ISBN 2-923335-02-3

1. Humour – Dictionnaire français. 2. Mots d'esprit et jeux de mots –
Dictionnaires français. 3. Humour québécois. I. Titre. II. Collection.

PN6151.L38 2005   808.87'003   C2005-940472-8

Éditeur :
JULIEN BÉLIVEAU

Éditeur adjoint :
SYLVAIN PERRON

Maquette de la couverture :
MÉLANIE CHARRON

Photo :
JACQUES BREUER

Illustrations :
MICHEL LAUZIÈRE

Révision :
MICHEL THERRIEN et MICHEL LAUZIÈRE

Mise en page :
ÉDISCRIPT

Toute ma gratitude à mon épouse,
car, sans elle, je ne l'aurais jamais rencontrée.

Préface : Partie d'un livre située à son début mais qu'on lit à la fin.

J'ai connu Michel Lauzière à l'époque où il faisait partie du duo Les Foubracs. Sa légendaire interprétation de l'*Hymne à la joie* de Beethoven à la pompe à vélo nous avait alors permis de retrouver la véritable sépulture du grand Ludwig, celui-ci s'étant retourné dans sa tombe. Par la suite, j'ai suivi de loin sa carrière solo. L'estime que j'avais pour Michel n'a fait que grandir quand je l'ai vu conquérir la planète entière avec son célèbre numéro du type qui entre au complet dans un ballon géant. Michel est bien la seule personne sur terre qui peut «partir sur une balloune» sans prendre une seule goutte d'alcool.

Quand Michel m'a d'abord présenté le manuscrit de cet ouvrage en me demandant mes commentaires, il s'agissait d'un recueil de réflexions et maximes. Après lecture, je lui ai suggéré de recommencer de A à Z… c'est-à-dire d'en faire un dictionnaire! Ce qu'il a fait, et le reste a été très facile: il n'a eu qu'à être lui-même, c'est-à-dire génial, drôle, cinglant ou vif d'esprit 400 ou 500 fois, et ç'a donné le livre que vous tenez après l'avoir dûment payé, j'espère.

Ce livre mérite qu'on ait abattu quelques arbres pour qu'il existe. À mon avis, il pourrait même avantageusement remplacer certaines lectures inutiles qu'on nous propose pourtant partout : les conseils en cas d'urgence dans les avions, les renseignements écrits serré sur les petits carrés de tissu cousus aux matelas, ainsi que les Bibles dans les tiroirs des motels.

Je vous recommande fortement la lecture du *Dictionnaire inutile... mais pratique*. Et même si votre intention n'est pas de le lire, achetez-le malgré tout! Il n'en sera que plus inutile pour vous, tout en demeurant pratique pour l'auteur.

PIERRE HUET

« A »

Lettre qui obtient la note parfaite

Abus de confiance

Abdominaux: Muscles assez élastiques pour qu'une femme enceinte puisse éventuellement reprendre sa forme, et qu'un homme puisse éventuellement prendre la forme d'une femme enceinte.

Absent: Ce qu'on est, quand on n'est pas là.

Abstinence: Se priver de quelque chose, ou de quelqu'un.

Abstraction: Style de peinture où la toile ressemble le plus à la palette du peintre.

Absurde: Ce qui reste, une fois qu'on a enlevé tout ce qui ne l'est pas.

Accident: Malheur que nul ne craint autant que les compagnies d'assurances.

Accouplement: Moyen de reproduction que l'homme reproduit aussi souvent qu'il le peut.

Accumulation: Phénomène qui permet aux gouttes d'eau de former les océans, aux grains de sable de former les plages, et aux flocons de neige de fermer les écoles.

Accusé: Celui qui est montré du droit.

Addition: Note qui fait perdre son «g» à un repas gastronomique.

Adolescence : Période de la vie où l'école devient secondaire, et les instincts primaires.

Adolescent : Jeune qui profite encore de la présence de ses parents, mais qui préfère profiter de leur absence.

Aéroport : Endroit où on perd le temps qu'on gagne à prendre l'avion.

Agence de voyages : Entreprise qui n'arrive que si ses clients partent.

Agoraphobie : Avoir la chair de foule.

Agression : Vengeance préventive.

Ail : Condiment apprécié en cuisine, mais détesté au salon.

Aliments : Ce qui manque souvent dans ce qu'on mange.

Alphabet : Abréviation de «abcdefghijklmnop qrstuvwxyz».

Altruisme : Vertu fort agréable à cultiver lorsqu'on s'entoure de gens qui l'ont.

Ami : 1) Bon ami : Il est toujours là quand on a des problèmes. 2) Mauvais ami : On a toujours des problèmes quand il est là.

Amitié : L'amour sans le meilleur et sans le pire.

Amour : Seul sentiment assez profond pour qu'on tombe dedans.

Amour-propre : Terme poli signifiant qu'on se masturbe sous la douche.

Analphabète : Personne qui ne peut pas lire cette définition.

Anglicisme : Mot anglais, utilisé comme faute de français.

Angoisse existentielle : La peur revêtue d'une tenue de gala.

Années : Choses qui comptent de plus en plus, à mesure qu'il nous en reste de moins en moins à compter.

Anniversaire de mariage : Événement dont on peut se souvenir longtemps, si on l'oublie.

Anorexie : Maladie de fille en aiguille.

Anticonformiste : Individu qui, pour se démarquer de la masse, n'a aucun *piercing* ni tatouage.

Antiquités : Objets d'hier qui ont résisté jusqu'à aujourd'hui, et qu'on vend au prix de demain.

Apparences : Impressions pas toujours aussi trompeuses qu'elles en ont l'air.

Arbitre : Officiel chargé d'appliquer les règlements d'un sport, quand la partie n'est pas trop serrée.

Argent : Seule chose qui différencie les riches des pauvres.

Argument de poids : Ce qu'il faut pour convaincre quelqu'un de maigrir.

Armée : Métier où un soldat est entraîné à risquer sa vie, sous les ordres d'un officier entraîné à risquer la vie du soldat.

Art : Superflu indispensable.

Asile : Institution d'autrefois, où les autorités enfermaient les personnes dérangées, pour être moins dérangées.

Assurances : Sortes de bouées de sauvetage qu'on cherche à vous vendre en tout temps, sauf quand vous êtes en train de vous noyer.

Assurance-vie : Seul investissement qu'on fait en sachant qu'il ne nous rapportera jamais.

Astrologue : Individu qui, pour vous prédire une grande fortune, vous en exige une petite.

Athéisme : Mode de croyance des incroyants.

Athlète olympique : Sportif qui doit «penser positif», et «tester négatif».

Attentat suicide : Dynamite de groupe.

Aubaine : Objet qu'à force de marchander, on obtient au prix qu'il vaut.

Aujourd'hui : Lendemain d'hier; hier de demain; surlendemain d'avant-hier; avant-hier d'après-demain… Et on pourrait continuer ainsi jusqu'à demain.

Automobile : Moyen de transport le plus sûr, sauf s'il s'agit d'un citron.

Avaricieux: Individu inutile, puisqu'il ne donne rien.

Aveugle: Personne se promenant avec un chien qui coûte les yeux de la tête.

Avion: Moyen de transport le plus sûr, sauf en cas d'accident.

Avis de décès: L'avis après la mort.

Avocat: Professionnel toujours prêt à travailler pour une bonne cause.

« B »

Lettre qui s'est distinguée au cinéma,
en désignant des films qui ne se sont
pas distingués

Boule de cristal

Baiser: Nom commun et verbe, le premier menant souvent au deuxième.

Banlieue: Endroit qui vous rejoindra tôt ou tard si vous demeurez assez longtemps à la campagne.

Banque: Institution à laquelle on doit beaucoup.

Bar: Endroit où beaucoup de gens vont se retrouver, et où d'autres vont se perdre.

Barbouillage: Dessin fait par un enfant qui n'est pas le vôtre.

Bassesse : Ce qui, chaque jour, atteint de nouveaux sommets.

Bedaine-à-l'air : Mode qui permet aux manufacturiers de vêtements de faire des économies de bouts de chandail.

Bénévole : Qui travaille sans être payé. Contraire de « bureaucrate ».

Bible : Seul livre vénéré par autant de gens qui ne l'ont pas lu.

Bikini : Type de maillot de bain qui, depuis les années cinquante, donne l'illusion de devenir de plus en plus petit, parce qu'il est porté par des femmes de plus en plus grosses.

Bio (aliments): Produits nutritifs favorisant la santé et la minceur: la santé du consommateur, et la minceur de son portefeuille.

Blabla: Terme utilisé pour désigner une surabondance de mots inutiles, sur des sujets souvent tout aussi futiles, et donnant la plupart du temps la navrante impression que l'auteur de ce verbiage éhonté trouve bien davantage de satisfaction dans le geste même d'étaler son boniment insipide, exutoire de son infatuation débordante, qu'il en eût pu éprouver par le simple fait de transmettre d'une façon claire, nette, précise et efficace une quelconque idée ou concept à son interlocuteur, ou, dans ce cas-ci, son lecteur.

Bon vivant: Personne qui croit qu'il y a une vie avant la mort.

Bonheur: L'étincelle qui brille dans les yeux de l'homme en compagnie de sa femme; de la femme en compagnie de son enfant; de l'enfant en compagnie de son chien; du chien en compagnie de son maître; et du maître en compagnie de sa maîtresse.

Bordel : Endroit où on peut aller, et venir.

Bouderie : Colère munie d'un silencieux.

Boutique : Magasin où on a réduit l'espace de moitié, et doublé les prix.

Bravoure : Courage dont on fait preuve à l'approche du danger, si on ne peut pas courir très vite.

Bruit : Musique à l'état sauvage.

Bureaucrate : Quelqu'un qui, pour voir les choses s'améliorer, n'a qu'à arrêter de s'en occuper.

Burka : Voile qui dissimule le visage d'une femme, tout en révélant le vrai visage de ceux qui l'obligent à le porter.

« C »

Lettre qu'on retrouve surtout
dans « orange »

Coïncidence

Canicule : Température qui a de la fièvre.

Cannibale : Quelqu'un qui vous voit dans sa soupe.

Cardiologue : Médecin qui connaît ses patients par cœur.

Carte de crédit : Arme financière à n'utiliser qu'en cas de légitime dépense.

Casino : Établissement qui fait quelques nouveaux riches, en faisant beaucoup de nouveaux pauvres.

Cauchemar : Situation effroyable que les plus chanceux ne rencontrent qu'en rêve.

Caviar : *Faste-food.*

Célébrité : Lourde médaille qu'on accroche au cou des gens renommés, dans l'espoir de les voir s'effondrer.

Cellulaire : Type de téléphone qui est sur le point de rendre des chefs-d'œuvre musicaux insupportables.

Centenaire : Personne qui n'est plus autorisée à souffler les bougies de son gâteau d'anniversaire sans la présence des pompiers.

Centre : Ce qu'on trouve généralement au milieu de ce qu'il y a autour.

Cercle : Voir *vicieux*.

Chambre d'ado : Endroit à l'envers.

Changement : Ce qu'un candidat politique souhaite quand il tente de se faire élire, mais redoute quand il tente de se faire réélire.

Changement de sexe : Opération nouveau genre.

Chanson à message : Se disait autrefois d'une chanson qui dénonce ; se dit aujourd'hui d'une chanson qui joue pendant l'annonce.

Chapeau : Vêtement qui fait à sa tête.

Chasteté : Pire vœu que puisse faire une belle femme.

Chemise : Vêtement agréable à perdre au *strip-poker*, mais pas au casino.

Chercheur : Scientifique à qui on ne peut reprocher de ne rien trouver, puisqu'il est payé pour chercher.

Cheveux blancs : Signe de vieillissement chez les autres ; mais signe de sagesse quand on commence à en avoir soi-même.

Chirurgie esthétique : Art de rendre les apparences encore plus trompeuses.

Chômeur: Mot le moins employé.

Cigarette: Petite cheminée par laquelle votre santé et votre argent s'envolent en fumée.

Citation: Phrase d'un personnage célèbre, qu'on répète avec une précision approximative, en l'attribuant à quelqu'un d'autre.

Claustrophobe: Qui a une peur tellement maladive des endroits clos qu'on doit parfois l'enfermer.

Clé: L'invention qui a ouvert le plus de portes à l'humanité.

Clochard: Individu mis au banc de la société.

Clôture : Petite barrière qui rend le gazon plus vert de l'autre côté.

Clown : Comique-nez.

Coach : Poste occupé, dans une équipe sportive, par le futur ex-entraîneur.

Cocaïnomane : Personne qui a eu le coup de poudre.

Cocu : Échangiste qui s'ignore.

Cœur : Léger quand il est plein, et lourd quand il est vide.

Colérique : Qui a une fâcheuse habitude.

Comité : Groupe d'individus auquel on fait appel, quand les choses progressent trop rapidement.

Compromis : Concession facilitant la vie à deux, quand l'autre la fait.

Comptable : Personne qui compte le plus au monde.

Condom : Objet porté sur la chose.

Confiance en soi : Le pire défaut chez un imbécile. Faites-moi confiance.

Conflit de générations: Difficulté de s'entendre entre parents et enfants, parce que les ados font jouer leur musique trop fort.

Conformiste: Personne qui, à force d'agir comme les autres, ne devient personne.

Connerie: Étourderie qu'on pardonne facilement à ceux qui ont la courtoisie de s'excuser, ou qui sont riches à craquer.

Conservatisme: Mouvement qui cherche à éviter le mouvement.

mais pratique

Copain : Celui qui, comme un vrai ami, peut vous prêter des sous, mais qui, contrairement à un vrai ami, s'en souvient.

Coup de vieux : Ce que ressent un homme la première fois qu'il se rend compte que, après avoir dit bonne nuit à ses enfants, c'est lui qui va se coucher.

Courant d'air : Déguisement qu'utilise le vent pour se faufiler chez vous.

Courant électrique : Foudre domestiquée.

Cultivateur : Personne attachée aux choses de la terre.

43

Cunnilingus : Action de donner sa langue à la chatte.

« D »

« O » qui s'est fait rentrer dedans

Dépassement

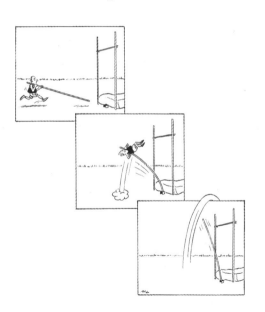

Déception : Sentiment amer qu'on va probablement éprouver si on tente quelque chose de risqué, mais qu'on est certain de ressentir si on ne tente rien.

Déficit : Gouffre sans fonds.

Demain : Seule chose qu'on peut vraiment remettre au lendemain.

Démocratie : Système politique où les citoyens ont le privilège de choisir eux-mêmes le gouvernement dont ils se plaindront.

Démuni : Personne qui n'a même plus les moyens d'être pauvre.

Diarrhée : Dommages collatéraux d'une guerre intestine.

Dictateur : Politicien qui ne promet rien pour être réélu.

Dictature : Régime politique qui s'installe d'un coup.

Dictionnaire : Livre responsable de tous les mots.

Dieu : Être suprême entouré d'un grand mystère… Il est partout, Il sait tout, Il voit tout, et Il peut tout. Le mystère, c'est que, devant l'horreur, Il ne fait rien.

Diffamation : Affirmation gratuite qui peut coûter cher.

Différences : Source de la plupart des différends.

Discussion : Échange d'opinions, où la qualité des arguments baisse à mesure que le ton monte.

Discuter : Se taire tour à tour.

Distance : Espace nécessaire entre deux personnes qui s'aiment, pour qu'elles ne se perdent pas de vue.

Divorce: Moment solennel où les époux s'entendent sur le fait qu'ils ne s'entendent plus.

Drapeau: Pièce de tissu dont se sert un pays, pour montrer qu'il a de l'étoffe.

Drogues: Substances «intoxicantes» comprenant deux grandes catégories: les proscrites, et les prescrites.

« E »

Lettre née du mariage de « F »
avec « L »

Espoir

Ébriété avancée : Expression qui ne tient pas debout.

École : Endroit où on accepte que les coûts soient élevés à condition que les enfants le soient aussi.

Écrire : Belle occasion de se taire.

Écrivain : Artiste qui s'exprime quand on l'imprime.

Égocentrique : Personne qui croit qu'embellir son milieu, c'est se mettre un anneau dans le nombril.

Dictionnaire inutile…

Égoïsme: Forme d'amour qui a le plus de chances de durer.

Einstein: Physicien relativement connu.

Éjaculateur précoce: Premier venu.

Électricité: Invention qui rend les objets usuels plus agréables à utiliser, à part la chaise.

Enfant: Jeune qui écoute ses parents jusqu'à ce qu'il ait un baladeur.

Enfer: Bientôt le seul endroit sans section «non-fumeurs».

Entarteur: Individu qui fait des blagues de mauvais goût qui ont bon goût.

Ère *glacière* : Avant l'invention du frigo.

Érotique : Ce que devient un film porno, quand c'est nous qui le regardons.

Escroc : Individu qui est prêt à payer un million de dollars à quiconque lui en prêtera deux.

Esprit : Comme l'argent : moins on en a, plus on essaie d'en faire.

Éternité : Seule bonne chose qui n'a pas de fin.

Étoile : 1) Astre plus ou moins brillant, qu'on voit dans le ciel, la nuit. 2) Artiste plus ou moins brillant, qu'on voit partout, tout le temps.

Dictionnaire inutile…

Euthanasie : Choix déchirant entre le respect de la vie et le respect de la mort.

Exagération : Mensonge basé sur du vrai.

Exercice : Activité physique qui prend de moins en moins de place dans la vie de gens qui prennent de plus en plus de place.

Expérience : La somme des choses apprises trop tard pour être utiles.

Expérimenté : Qui a développé l'art de refaire les mêmes bêtises, et de ne plus se faire attraper.

« F »

« E » pris dans la neige

Fantasme

Facture : Addition à laquelle il est difficile de se soustraire.

Faiblesse : Quelque chose qui est plus fort que nous.

Famille : Ensemble de personnes ne vivant généralement plus ensemble.

Famille reconstituée : Un, deux ou plusieurs adultes, vivant avec un, deux ou plusieurs enfants, issus de un, deux ou plusieurs mariages, de un, deux ou plusieurs de ces adultes (entre eux ou avec un, deux ou plusieurs tiers), de un, deux ou plusieurs sexes.

Fanatique : Individu qui est prêt à vous faire mourir pour ses idées.

Fantôme : Espèce en voie d'apparition.

Fast-food : L'alimentation avec un petit « a », et un grand « M ».

Faux amis : Quand tout va mal pour vous, vous les reconnaissez facilement au fait qu'ils vous reconnaissent difficilement.

Femme : Être humain du sexe opposé à ce que dit son mari.

Femme libérée : Femme devenue égale à elle-même.

Fidèle : Homme qui trompe la même femme toute sa vie.

Flâner : Action de s'adonner à l'inaction.

Flatulence : Besoin qui se fait sentir.

Forêt : Pluriel de *arbre*.

Fou : Malade sans raison.

Français : Langue qui adopte tellement de mots anglais que les anglophones commencent à la parler sans le savoir.

Franchise : Manque de diplomatie.

Fraudeur : Cadre supérieur d'entreprise qui vit au crochet de sa société.

Frein : Mécanisme provoquant une perte de vitesse, dont l'usage est en perte de vitesse.

Funérailles : Rituel qui commence par la fin.

Futur : Du temps en conserve.

« G »

Lettre qui, comme le « J » majuscule,
a un point qu'il faut deviner

Grève

Gare : Endroit où on est presque rendu, au moment où on rate un train.

Gastronome : Amateur de bonne chère très chère.

Généalogie : Science qui permet de remonter jusqu'aux ancêtres desquels on aurait voulu descendre.

Générosité : Sentiment partagé.

Génie : Ce que devient une personne de talent, quand elle meurt.

Gloire : Projecteur qui s'allume souvent quand l'artiste s'éteint.

Gourou : Individu qui passe pour brillant, alors que c'est souvent un illuminé.

Grêle : Type de précipitation qui crée le plus de précipitation chez ceux qui sont en dessous.

Grossièreté : Manière d'ignorer les bonnes manières, et de tenir des propos mal à propos.

Guérison : Un des deux dénouements possibles de la maladie.

Guerre : Bêtise humaine à l'échelle inhumaine.

« H »

Trait d'union
avec de très grandes oreilles

Héroïsme

Haine: Sentiment comparable à un animal domestique: il ne survit que si on le nourrit régulièrement.

Harcèlement sexuel: Comportement qui touche à peu près tout le monde.

Harem: Endroit où on aime sans compter.

Heavy metal: Musique rock pour amateurs purs et durs d'oreille.

Hériter: Expérience enrichissante.

Héros: Personnage qui, même marié, peut avoir des aventures.

Heureux : Comme on se sent à partir du jour où on trouve le bonheur, jusqu'au jour où on s'y habitue.

Hippodrome : Endroit où un parieur va voir des chevaux courir à sa perte.

Histoire : Récit de l'aventure humaine, qui aura peut-être une suite.

Hollywood : Capitale du cinéma, où on utilise beaucoup de moyens pour produire beaucoup de films moyens.

Homme : Seul animal sur la planète qui agit comme s'il était le seul animal sur la planète.

Hong-Kong : Endroit où il y a tellement d'habitants au kilomètre carré qu'on songe à y agrandir le kilomètre carré.

Horizontalité : Verticalité au repos.

Horoscope : Prédictions astrologiques qui, certains jours, sont fort encourageantes ; les autres jours, ce ne sont que des balivernes.

Humain : Seul singe qui pense ne pas en être un.

Humilité : Qualité qu'on n'a aucun mérite à avoir, si c'est la seule qu'on a.

Dictionnaire inutile...

Humoriste : Artiste pour qui la difficulté consiste à ne pas tomber dans la facilité.

Hygiène : Nom commun le plus propre.

Hypocrisie : Ruse à laquelle un rival a pensé avant nous.

« I »

Lettre qui perd la boule aussitôt
qu'elle devient majuscule

Ingéniosité

Ici : Endroit qui nous suit partout.

Idée : Ce qui fait que quelqu'un qui n'en a jamais eu est idiot.

Idiot : Celui qui, voyant un poteau sans fil, croit qu'il sert aux téléphones cellulaires.

Ignorance : Total des choses qu'on ne sait pas, et de celles qu'on croit savoir.

Illettré : 1) Personne qui ne sait pas lire. 2) Personne qui sait lire, mais qui ne lit pas.

Image : Un kilo-mot.

Imbécile : Qui paraît plus brillant lorsqu'il dit tout le contraire de ce qu'il pense.

Imprévu : L'ami du voyageur, et l'ennemi du touriste.

Impuissant : Homme de peu de fois.

Inconscience : Faculté de ne pas s'en apercevoir.

Indéfinissable : Seul mot du dictionnaire qui contredit sa propre définition.

Indifférence : Arme de destruction passive.

Inexistant : Mot qui existe pourtant.

Infaillibilité : Ce qui fait que le pape ne se trompe jamais, contrairement à ceux qui le croient infaillible, qui, eux, peuvent se tromper…

Infidèle : Égoïste qui tombe amoureux.

Information : Déguisement préféré de la propagande.

Ingratitude : Amnésie du cœur.

Innocence : Qualité qu'on perd le jour où on commence à se sentir coupable.

Innover : Être le premier à copier une idée.

Insalubrité : Propre de ce qui est sale.

Insomnie : Genre de problème qui se résout après une bonne nuit de sommeil.

Intelligence : Faculté de s'apercevoir qu'on ne comprend pas.

Internet : Invention qui nous permet de perdre beaucoup de temps en un rien de temps.

Investissement : Achat qui rapporte. (Exemple : un chien de chasse.)

Ivrogne : Individu que l'eau-de-vie rend ivre mort.

« J »

Vieux « I » qui se berce

Jeux olympiques

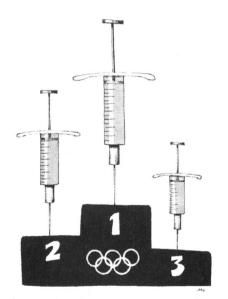

Jackpot: Cagnotte, toujours gagnée par quelqu'un d'autre.

Jaloux: Adjectif possessif.

Jamais: Infiniment moins souvent que toujours.

Jambes: Deux parties très attirantes du corps de la femme, se rejoignant d'une façon des plus attirantes.

Jaune: Seule couleur qui ne jaunit pas avec le temps.

Jeunesse: Période qui commence le jour de votre naissance, et se termine le jour où on vous dit que vous n'avez jamais eu l'air si jeune.

Jogging: Sport de pratique courante.

Joueur compulsif: Individu qui vendrait sa mère pour aller parier aux courses, s'il ne l'avait pas déjà perdue au casino.

Journal: Périodique remplissant deux grands rôles sociaux: informer les gens, et réchauffer les sans-abri.

Journaliste: Historien instantané.

Journaux à potins : Publications s'intéressant à tout ce qui est sans intérêt.

Juge : Magistrat qui, même s'il n'a pas toujours raison, n'a jamais tort.

Juré : Membre d'un jury, condamné à se ranger à l'avis des onze autres.

Jury : Douze personnes qu'on enferme pour déterminer s'il est juste qu'on en enferme une autre.

Justice : Ce que le système judiciaire rend toujours, sauf la plupart du temps.

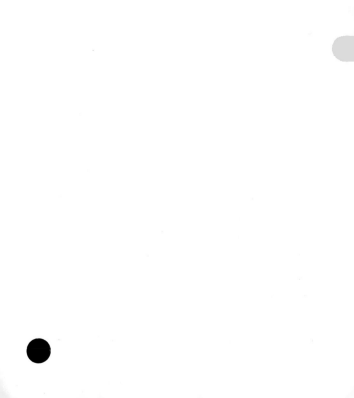

« K »

Lettre particulièrement intéressante
pour le psychologue

Kangourou

Karaoké : Occasion donnée à ceux qui ne gagnent pas leur vie dans la chanson, d'en montrer la raison.

Karaté : Art de fracasser des briques avec ses mains, ses pieds et sa tête, devant des spectateurs qui osent rarement ne pas applaudir.

Kermesse : Seul genre de messe qui attire encore du monde.

Ketchup : Ce qu'on vous servira dans une chaîne de restauration rapide, si vous commandez une bouteille de rouge.

Kidnapper : Emprunter quelqu'un, et menacer ensuite de le remettre en petites coupures.

Kilogramme : Chose facile à gagner, et difficile à perdre. Contraire de *argent*.

Kit : Pièces nécessaires à l'assemblage d'un objet, (sauf bien sûr la petite vis qui manque toujours).

« L »

Partie féminine du mot « lui »

Lecture

Laideur : Défaut qui avantage un homme riche, en lui permettant de savoir exactement pourquoi il attire tant de femmes.

Larme : L'arme la plus désarmante.

Liberté : Contraire de drogue, puisqu'elle crée une indépendance.

Libertins : Ceux qui ont pour devise : « Tout le monde peut se tromper. »

Liquidation : Grand solde où tout est réduit à 50 % de deux fois le prix.

Livre : Ouvrage écrit, imprimé, relié, publié, distribué, souvent acheté, et parfois lu.

Lobbying : Sport de contacts.

Loi : Règlement voté par les politiciens pour maintenir l'ordre en place, et appliqué par les policiers pour maintenir la place en ordre.

Loisirs : Activités qui tuent autant de gens que le travail, mais qui le font dans une ambiance beaucoup plus décontractée.

Longévité : Le secret de la plupart des centenaires.

Lumière : Une des rares choses à voyager à cette vitesse.

Lundi matin : Ce que bien des gens n'aiment pas du dimanche soir.

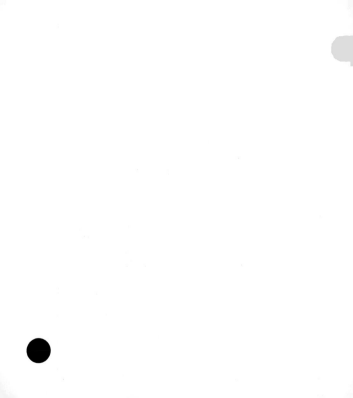

« M »

Lettre qui, si on l'écrit comme elle se prononce, devient une lettre d'amour

Martiens

Macho: Homme qui dit à sa femme: «Je pense, donc tu suis.»

Magasinage: Activité favorite de beaucoup d'êtres chers.

Magie: Ce qui se produit, chaque fois que la Terre fait un tour.

Maison de jeu: Entreprise qui marche comme sur des roulettes.

Malbouffe: Preuve qu'il est possible de manger en se privant de nourriture.

Malheur: Événement déplorable, qui arrive toujours au mauvais moment.

Mannequin : Jolie personne que des créateurs de mode couvrent de ridicule.

Marée noire : Cancer des eaux.

Mariage : Union solennelle d'un destin et d'une destinée.

Mariés : Un homme et une femme unis, jusqu'à ce que l'un des trois rende l'âme : l'homme, la femme, ou le mariage.

Marin : Homme qui sait garder les deux pieds sur mer.

Masculine : Adjectif féminin le moins féminin.

Masochiste : Qui aime prendre un coup.

Matière grise : Matière à réflexion.

Médecine : Science qui augmente de plus en plus la longévité des maladies.

Mégasinage : Consiste à profiter de méga-aubaines, dans une mégavente.

Mémoire : Fonction du cerveau qui permet de se souvenir d'un tas de choses inutiles, et d'oublier ses clés dans l'auto.

Mendiant : Individu pour qui la vie est une quête constante.

Menteur: Personne à qui mentir équivaut à dire la vérité.

Message publicitaire: Pause pendant laquelle on peut aller voir aux autres chaînes, d'autres messages publicitaires.

Métaphysique: Science qui explique l'inexplicable de façon incompréhensible.

Météorologue: Spécialiste qui peut prédire le temps qu'il fera, mais ignore quand et où.

Michael Jackson: Supervedette dont l'étoile est en train de pâlir autant que son visage.

Microscope : Meilleur instrument pour découvrir le bonheur, car le bonheur se trouve dans les toutes petites choses.

Millionnaire : Personne aimée pour ce qu'elle a.

Misogyne : Homme qui n'attribue à la femme ni queue ni tête.

Mode : Ce qui permet à tout le monde d'être différent de la même manière.

Modération : Qualité dont il ne faut pas abuser.

Momie : Preuve que les pharaons étaient bien entourés.

Morpions : Bestioles qui ajoutent du piquant à la vie sexuelle.

Mort : Celle qui arrive toujours à la dernière minute.

Musicien : Sculpteur d'air.

Musique : Vacarme qui a pris des leçons d'harmonie.

« N »

« Z » qui s'est couché pour dormir

Négociation

Navet: Ce qui pousse quand un cinéaste se plante.

Néant: Mot employé pour rien.

Neige: Chose qui réjouit les petits en tombant, et les grands en fondant.

Nivellement par le bas: Pratique selon laquelle, pour entrer quelque part, tous doivent se déchausser.

Noël: Le plus joyeux mois de l'année.

Non: Mot simple qu'on refuse de comprendre.

Notoriété : Insignifiance qui passe souvent à la télé.

Nudisme : Activité qui permet de se découvrir.

Nuire : Aider un peu trop.

Seule lettre qui se forme sur les lèvres
de la personne qui la prononce

Opportunisme

Obésité : Quand les vêtements trop grands pour nous commencent à nous faire.

Obscurité : Faire-valoir de la lumière.

Omerta : Quand l'instinct de conservation fait taire l'instinct de conversation.

Optimisme : Vision de la vie qui demande beaucoup d'imagination.

Optimiste : Pauvre qui loue une limousine pour aller acheter son billet de loterie.

Ordinateur : Outil de travail et de loisir par excellence : le temps qu'on gagne en y travaillant, on peut le perdre en y jouant.

Oreiller : Invention née d'une bonne idée derrière la tête.

Originalité : Faire la même chose que tout le monde, mais avant.

Orthographe : Matière à enseigner sans faute.

Oui : Contraire de peut-être.

« P »

*Traduction française de « S »,
sur l'étiquette d'un vêtement*

Pollution

Paix : La toute première victime de chaque guerre.

Paparazzi : Photographe que les super-vedettes adorent fuir.

Papier : Là où atterrissent parfois les paroles qui s'envolent.

Paradoxe : Contradiction qui n'en est pas une.

Pardonner : Chose difficile à faire, sans garder rancune.

Paresse : Activité épuisante qui consiste à dépenser toutes ses énergies à éviter les efforts.

Paresseux : Qui est toujours las quand on a besoin de lui.

Parfait : Ce que Dieu a voulu paraître, en créant l'homme.

Partouze : Partie de plaisir axée sur le plaisir des parties.

Passé : Temps qui a fait son temps.

Patience : Vertu permettant d'accomplir presque autant de choses que l'impatience.

Pauvreté : Ce qu'on accepte le plus facilement de partager.

Peau : Vêtement naturel du corps, qui, avec le temps, devient trop grand.

Péché : Invention de l'Église, pour se donner le plaisir de pardonner.

Pédophile : Individu qui profite trop de la jeunesse.

Pelleterie : Industrie de la fourrure, qui, après une passe difficile, reprend du poil de la bête.

Penser : Crime contre l'unanimité.

Père Noël : Phénomène paradoxal par excellence : on y croit d'abord sans l'avoir vu ; et au moment où on en voit partout, on n'y croit plus.

Perfection : Seul défaut de Dieu.

Persévérant : Entêté qui a fini par réussir.

Pessimiste : Celui qui, après avoir écouté un bulletin de nouvelles catastrophiques, réalise que ça ne va pas aussi mal qu'il pensait.

Philosophe : Qui a perdu ses illusions, sans perdre ses rêves.

Pied : Partie du corps qui est en bas.

Pilule : Comprimé rarement plus bénéfique pour la santé que l'eau qui sert à l'avaler.

Pire : Ce à quoi il faut s'attendre, pour finalement être moins déçu.

Plasticien : Spécialiste en chirurgie plastique, qui peut changer une personne riche ayant la fausse impression d'être laide en personne pauvre ayant la fausse impression d'être belle.

Plate : Ce que devient une chose (ou une personne), si elle est constamment pressée.

Pluie : Seul phénomène météorologique qui se produit chaque fois qu'on nous le prédit.

Poésie : Le parfum des mots.

Poisson : Animal qu'on mange à la fourchette, après l'avoir préparé au couteau, et pêché à la cuiller.

Politicien : Dirigeant dont la plus grande qualité est d'avoir une vision et le pire défaut, d'avoir des visions.

Pollution : Phénomène qui transforme lentement un paysage en nature morte.

Ponctualité : Art qui consiste à arriver légèrement en retard, avec un peu d'avance.

Ponctuel : Condamné à toujours attendre les autres.

Portable (téléphone): Abréviation de «insupportable».

Poste: Service permettant de recevoir une lettre qui vient de l'autre bout du monde en deux jours, ou en deux mois, selon qu'il s'agit d'une facture ou d'un chèque.

Postillonner: Obliger les autres à boire nos paroles.

Poulailler: Endroit où on trouve moins de nids-de-poule que sur les routes.

Poursuivre en justice: Action d'intenter une action.

Prêcher : Jeter de la poudre aux cieux.

Préjugés : Les œillères de l'esprit.

Prétentieux : Consiste toujours, chez celui qui l'est, à prétendre ne pas l'être.

Prévention : Commencer à guérir avant de tomber malade.

Prison : Établissement où un condamné va purger une fraction de sa peine.

Prisonnier : Personne qui a de la fuite dans les idées.

Problème : Chose dont la seule utilité est de nous faire apprécier les moments où on n'en a pas.

Procrastinateur : Individu qui remet constamment ses tâches à plus tard. (Pluriel de *procrastinateur* : *comité*)

Promesse : Équivaut à la position debout sur la pointe d'un seul pied : facile à faire, mais difficile à tenir.

Prophète : Comme un billet de 100 $: on en voit de plus en plus, et il faut se méfier des faux.

Prostituée : Commerçante qu'on paie content.

Prostitution : Commerce «inégal» du sexe, puisqu'il est jugé moins dégradant d'obtenir du sexe en donnant de l'argent, que d'obtenir de l'argent en donnant du sexe.

Proverbe : Capsule de sagesse populaire qu'on aime citer, à défaut de l'appliquer.

Psychanalyste : Praticien qui, pour tout savoir sur votre compte, doit parfois le vider.

« Q »

Lettre qui, si elle était un chiffre,
serait sûrement « 69 »

Quiproquo

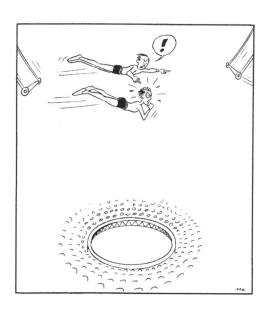

Qualité : Défaut qu'on n'a pas encore eu l'occasion de développer.

Quelqu'un : Ce qu'il est difficile de devenir, sans devenir quelqu'un d'autre.

Querelle : Première étape vers la réconciliation.

Question : Mère de toutes les réponses.

Quêteux : Individu toujours prêt à vous tendre la main.

« R »

Un « P » en train de faire pipi

Ruse

Raccourci: Chemin plus court, mais dans lequel on se perd, pour finalement arriver en retard.

Racisme: L'étroitesse d'esprit dans son sens le plus large.

Rancune: Sentiment qui ne pardonne pas.

Reculer: Avancer après avoir fait demi-tour.

Redivorce: Échec d'un remariage.

Réflexion: 1) Ce qu'on voit si on se regarde dans le miroir. 2) Pensée qui surgit, si on arrête de se regarder dans le miroir.

Régime amaigrissant : Cure alimentaire qui donne de maigres résultats.

Religion : Organisation pas toujours très catholique, utilisant parfois des méthodes peu orthodoxes.

Repas : Ce qui devrait toujours commencer par la faim.

Reprise : 1) Séquence d'un match sportif repassée en vidéo (souvent au ralenti). 2) Regain d'activité économique (souvent au ralenti).

Réputation : Chose qui a la particularité d'être fragile quand elle est bonne, et durable quand elle est mauvaise.

Retardataire : Personnage très attendu.

Retraite : Étape de la vie que chacun devrait avoir la bonne idée d'envisager, avant que les autres n'envisagent que ce serait une bonne idée.

Réussir : La meilleure façon d'essayer.

Rides : Signes de vieillissement d'abord inquiétants, mais qu'on remarque de moins en moins, à mesure que la vue baisse.

Rire : Chose la plus contagieuse et la moins dangereuse qu'on puisse transmettre par la bouche.

Ritalin : Calmant qu'on administre à des enfants, pour soulager des adultes.

Rock'n'roll : Musique qui adoucirait les mœurs, si on baissait le volume.

Romance : Passion-diète.

Ronfler : Dormir sur ses deux oreilles, en cassant celles des autres.

Rose : Couleur qui ne fait plus rougir.

Rot : Pet bien élevé.

Route des vins : Seule voie publique où on ne cherche pas à éviter les bouchons.

Routine : Avant-goût de la vie éternelle.

Rumeur : Bruit qui court plus vite quand on l'allège du poids de la vérité.

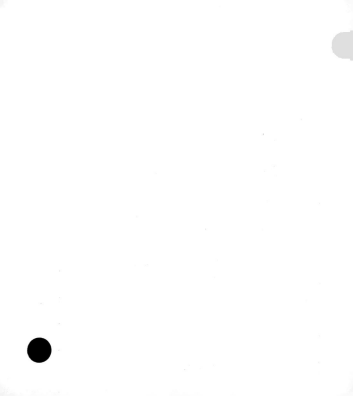

« S »

Signe de piastre libéré
de ses barreaux

Surprise

Sacrer: Mauvaise habitude d'une personne qui a une grande culture du sacré.

Sage: Ce qu'on devient, quand on n'a plus la santé pour se conduire autrement.

Sainte Trinité: La règle de trois du caté-chisme.

Sang: Preuve qu'à l'intérieur, tous les hommes sont de la même couleur.

Sans-abri: Nom à coucher dehors.

Santé: Seule grande richesse qui ne rend pas riche.

Savoir-vivre : Quand le manque de franchise est une qualité.

Secret : Information à ne répéter à personne à haute voix.

Sectes : Groupes dirigés par des maîtres à ne pas penser.

Semaine : Cinq jours de travail, pour se remettre de deux jours de congé.

Sénateur : Politicien d'un seul dossier : celui de sa chaise.

Serment : Type de parole qu'on prête, plutôt que de la donner.

Sexe : Cause de la plupart des naissances.

Sexisme : Quand la secrétaire touche 10 % du salaire du patron, pendant que le patron touche 90 % de la secrétaire.

Showbiz : Milieu du spectacle, où on voit de plus en plus de vedettes, et de moins en moins d'artistes.

Shylock : Mot emprunté à l'anglais, à un très haut taux d'intérêt.

Silence : Ce qui met le mieux en valeur ce qu'on dira après.

Slogan : Dicton diplômé en marketing.

Snobisme : Forme la plus raffinée de la grossièreté.

Sodomie : Une des manières de baiser, classée dans les anales.

Solitude : Sentiment d'isolement éprouvé par tellement de gens, que ceux qui se sentent seuls ne sont plus seuls.

Sommeil : Seule période pendant laquelle le Nord-Américain moyen ne mange pas.

Somnambule : Quelqu'un qui ne réussit pas à dormir pendant son sommeil.

Sondage : Poser une question à plein de gens, jusqu'à ce que la majorité des réponses reflètent le résultat souhaité.

Soulier : Invention qui marche le mieux.

Sourd-muet : Malentendant mal entendu.

Sourire : La manière pacifique de montrer les dents.

Souteneur : Celui qui vit au-dessus des moyens d'une autre.

Star : Grande vedette qui porte des verres fumés, pour ne pas avoir à reconnaître les gens.

Starlette : Petite vedette qui porte des verres fumés, dans l'espoir que les gens la reconnaissent.

Statistiques : Données permettant d'affirmer n'importe quoi, chiffres à l'appui.

Stéroïdes : Substances qui permettent aux haltérophiles de soulever encore plus de questions.

Suicide raté : Quand on a autant de succès dans la mort que dans la vie.

Superficialité : Trait de caractère qui remonte vite à la surface.

Surdité : Perte de l'ouïe dont certains vieillards font semblant de souffrir quand ça les arrange.

Surendettement : Pauvreté à retardement.

Surpopulation : Résultat de la surcopulation.

Syndicats : Organismes qui rendent le travail plus sécuritaire, en incitant les travailleurs à ne pas se tuer à l'ouvrage.

Synonyme : Antonyme de *antonyme*.

« T »

Dernière lettre de « alphabet »

Téléréalité

Talent : Une des rares choses qu'on ne puisse pas encore transplanter à une vedette.

Technologie : Domaine qui progresse à une allure folle, pendant que l'homme court derrière en essayant de brancher les bons fils.

Téléréalité : Forme que prend le mot « télévision » quand, pour faire place à la réalité, on enlève la vision.

Temps : Moulin qui réduit le futur en passé.

Terre : Planète tellement malade que, chaque jour, les météorologues prennent sa température.

Textile: Industrie qui se porte bien.

Torticolis: Mot vilain qui fait des mauvais cous.

Toujours: Période de rut chez le mâle humain.

Trafic: Phénomène qui donne aux automobilistes le goût de se dépasser.

Train: Chose à ne pas manquer.

Transsexuel: Malheureux qui a trouvé le moyen d'être heureuse.

Transsexuelle: Malheureuse qui a trouvé le moyen d'être heureux.

Travail : Activité productive qu'on fera demain.

Triangle amoureux : Homme, qui aime sa femme, qui aime son argent.

Trophée : Honneur qu'on juge futile, jusqu'au jour où on le reçoit.

Trou noir : Phénomène troublant.

« U »

« C » en érection

Unijambiste

Unanimité : Situation délicate : une seule voix contre, et elle disparaît.

Une : Première page d'un journal, où on trouve les dernières nouvelles.

Unilingue : Qui ne parle que l'anglais.

Univers : Tout ce qu'il y a autour d'un égocentrique.

Urgence : Service de soins dont la qualité serait incroyable, si elle correspondait à nos attentes.

Urologue : Pendant masculin du gynécologue, spécialisé dans le pendant masculin.

USA : Pays qui souhaiterait que toutes les nations du monde soient libres de faire ce qu'il veut.

« V »

« W » qui est resté célibataire

Vantardise

Valise : Malle dans laquelle un voyageur apporte deux fois trop de choses.

Vanité : La plus petite marque de grandeur, et la plus grande marque de petitesse.

Vedettariat : Grand jeu de l'ego.

Vérité : Parfois, fausseté qui a bénéficié de bons moyens de propagande.

Verres fumés : Lunettes que porte un artiste, en s'imaginant qu'elles sont la raison pour laquelle il passe inaperçu.

Vêtement: Pièce d'étoffe que porte un individu pour protéger les autres du froid qu'il créerait, s'il n'en portait pas.

Vicieux: Voir *cercle*.

Vie: La vie est un voyage, puisque nous y sommes passagers.

Vie privée: Ce dont la vie des stars est souvent privée.

Vieillir: Seule manière connue de retarder la mort.

Violence: Une des rares choses qui soient encore gratuites.

Violence conjugale: Quand un homme qui avait commencé par demander la main d'une femme finit par lui donner son poing.

Visionnaire: Quelqu'un qui trouve des réponses qui sont encore sans questions.

Vivre: Action de ne pas être mort.

Vivre en couple: Partager la vie de l'autre, sans obligatoirement en partager l'avis.

Volonté: Qualité qu'on aurait tous, si on voulait.

Vomissement: Un des mots les plus difficiles à retenir.

Vote : Devoir de tous les citoyens, même si beaucoup font une croix là-dessus.

Voyance : Talent grâce auquel un médium peut vous dire le numéro gagnant à la loterie de demain, si vous le lui demandez après-demain.

« W »

Lettre qui, de grande négligée
de l'alphabet, s'est hissée
au rang de triple vedette,
grâce à Internet

Western

Week-end : Emprunté à l'anglais parce que le français manque de mots en « w ».

Whum : Spiwitueux twès appwécié dans les Cawaïbes.

« X »

Lettre qui n'a jamais voulu
dire son vrai nom

Rayons X

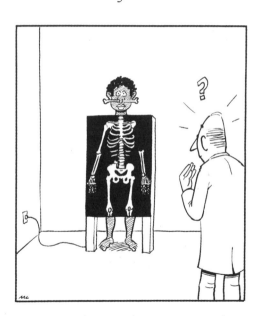

«X» (terme de radiologie): Rayon pour voir à travers la peau.

«XXX» (terme de club vidéo): Rayon des films pour voir de la peau.

Xénophobie: Racisme qui est allé à l'université.

« Y »

Lettre qui serait la dernière de
l'alphabet, s'il n'y avait que 25 lettres

Yoga

Yacht: Bateau permettant de faire de belles conquêtes, sans bouger du quai.

Yaourt (ou yogourt): Mets qui ajoute un peu de culture à l'alimentation nord-américaine.

Yeux: Organes qui permettent à un voyant de voir, et à un aveugle de jouir d'une ouïe et d'un sens du toucher extraordinaires.

Yoga: Ensemble de contorsions qu'il est prudent de pratiquer en présence d'un scout, pour défaire les nœuds.

« Z »

Lettre qu'on ne voit pas vraiment
très souvent, sauf dans les tests
de la vue (où, très souvent,
on ne la voit pas vraiment)

Zut !

Zéro : Nombre le moins nombreux.

Zoo : Endroit où on peut regarder des animaux nous observer.

Zygomatique : Muscle du sourire ; et dernier mot de ce dictionnaire. Alors, pour avoir le dernier mot, souriez !

Remerciements

500 fois merci à mon mentor Pierre Huet;
et 500 fois merci à Sophie Ginoux.
Alors mille mercis à vous deux.

MICHEL LAUZIÈRE